A-Z BASING

Key To Maps

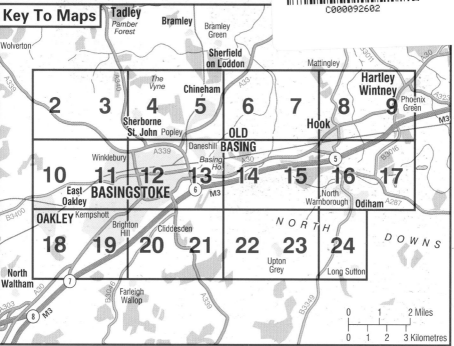

Reference

Motorway	**M3**	
A Road	A30	
B Road	B3400	
Dual Carriageway		
One Way Street		
Traffic flow on A roads is indicated by a heavy line on the drivers' left.		
Restricted Access		
Track & Footpath		
Residential Walkway		
Railway	Level Crossing / Station	
Built Up Area		

Local Authority Boundary		
Postcode Boundary		
Map Continuation	12	
Car Park Selected	P	
Church or Chapel	†	
Fire Station	■	
House Numbers 'A' and 'B' Roads only	47 35	
Hospital	H	
Information Centre	i	
National Grid Reference	465	
Police Station	▲	
Post Office	★	

Toilet with facilities for the Disabled	▽ ♿
Educational Establishment	
Hospital or Health Centre	
Industrial Building	
Leisure or Recreational Facility	
Place of Interest	
Public Building	
Shopping Centre or Market	
Other Selected Buildings	

Scale 1:19,000

3⅓ inches (8.47 cm) to 1 mile
5.26 cm to 1 kilometre

0 — ¼ — ½ Mile
0 — 250 — 500 — 750 Metres — 1 Kilometre

Geographers' A-Z Map Company Limited

Head Office :
Fairfield Road, Borough Green, Sevenoaks, Kent TN15 8PP
Tel: 01732 781000

Showrooms :
44 Gray's Inn Road, London WC1X 8HX
Tel: 020 7440 9500

Based upon the Ordnance Survey mapping with the permission of the Controller of Her Majesty's Stationery Office.

© Crown Copyright (399000)

EDITION 1 1999
Copyright © Geographers' A-Z Map Co. Ltd. 1999

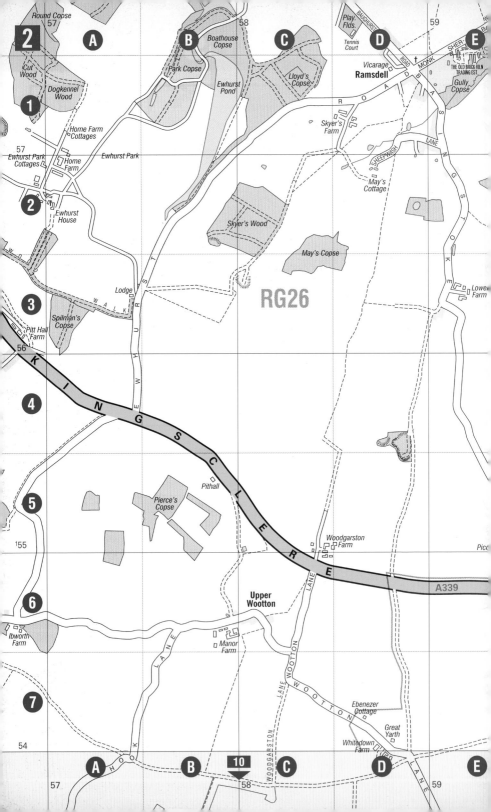

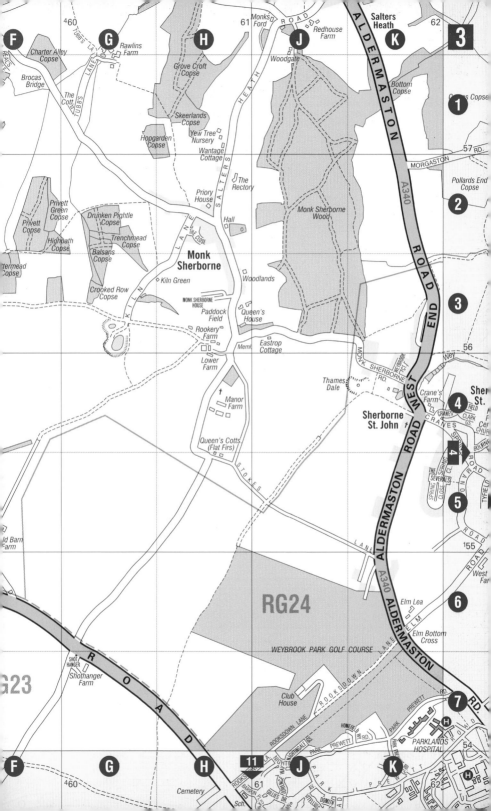

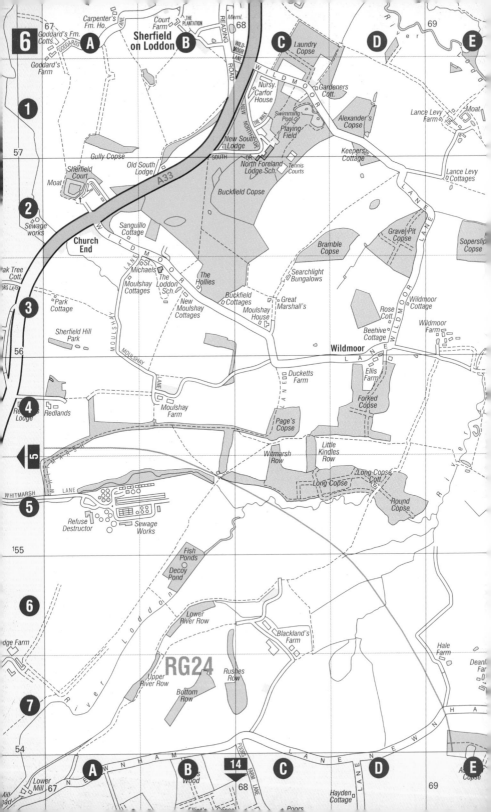

6

A   67   **B**   68   **C**   **D**   69   **E**

Goddard's Cotts.
Carpenter's Fm. Ho.
Court Farm
THE PLANTATION
Meml.
READING ROAD
WILD. MOOR LANE

Sherfield on Loddon

Laundry Copse

1

57

Goddard's Farm

NEW NORTHAM ROAD
THE WALK
WILDMOOR LANE

Nursy. Carfor House
Gardeners Cott.

Swimming Pool
Playing Field

Alexander's Copse

Lance Levy Farm

Moat

Gully Copse
Old South Lodge
New South Lodge

Keepers Cottage

Lance Levy Cottages

Sherfield Court
A33
North Foreland Lodge Sch.
Tennis Courts

2

Moat

SOUTH DR.

Buckfield Copse

LANE

Sewage works

Church End

Sanguillo Cottage

WILDMOOR LANE

St. Michaels
The Loddon Sch.
Moulshay Cottages
The Hollies
Buckfield Cottages
New Moulshay Cottages
Moulshay House

Bramble Copse

Gravel Pit Copse

Soperslip Copse

Oak Tree Cott.
RS LA.

Searchlight Bungalows

Rose Cott.

Wildmoor Cottage

Wildmoor Farm

3

56

Park Cottage

Great Marshall's

Sherfield Hill Park

MOULSHAY LANE

Beehive Cottage

Wildmoor

WILDMOOR LANE

LANE

Ducketts Farm

Ellis Farm

Redlands Lodge
Redlands

Moulshay Farm

Page's Copse

Forked Copse

4

Little Kindles Row

WHITMARSH LANE

Witmarsh Row

Long Copse Cott.

5

WHITMARSH LANE

Refuse Destructor
Sewage Works

Long Copse

Round Copse

River

155

Fish Ponds
Decoy Pond

6

River Loddon

Lower River Row

Blackland's Farm

Hale Farm

dge Farm

RG24

Rushes Row

Deanl Far

7

54

Upper River Row
Bottom Row

LANE NEW NEWNHAM

A Copse

Lower Mill
67

Mill ead

A   **B**   's Wood   **14**   68   **C**   **D**   69   **E**

PRIORS FARM LANE
LANE NEW

Hayden Cottage
Poors
Elliot's

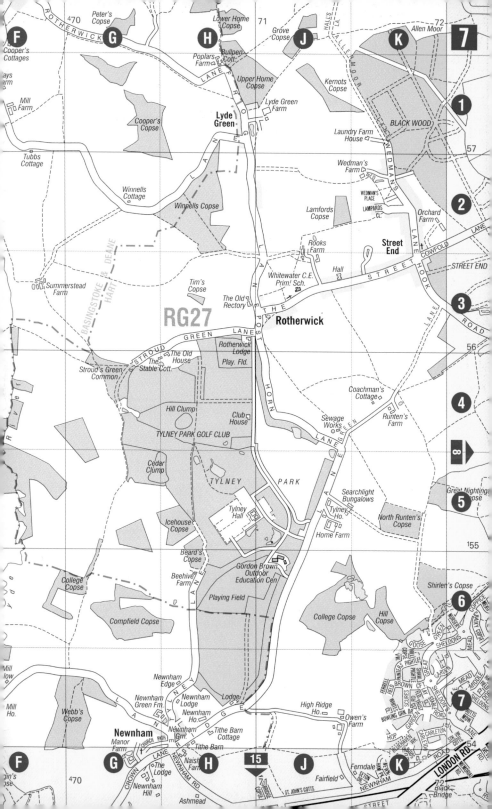

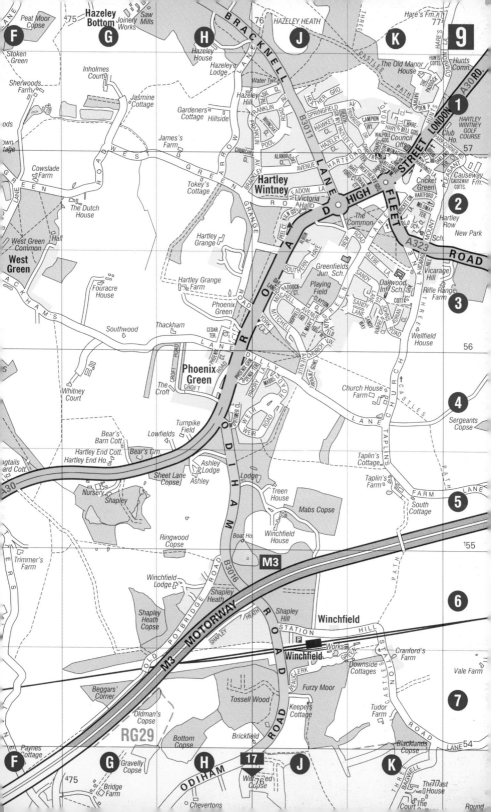

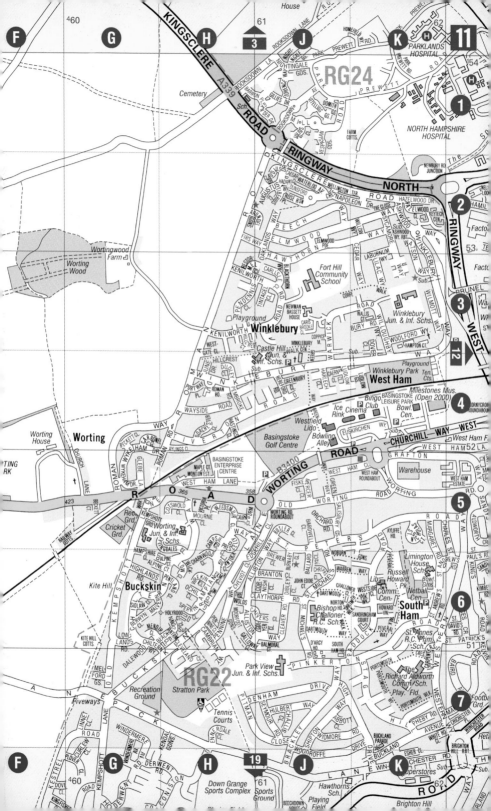

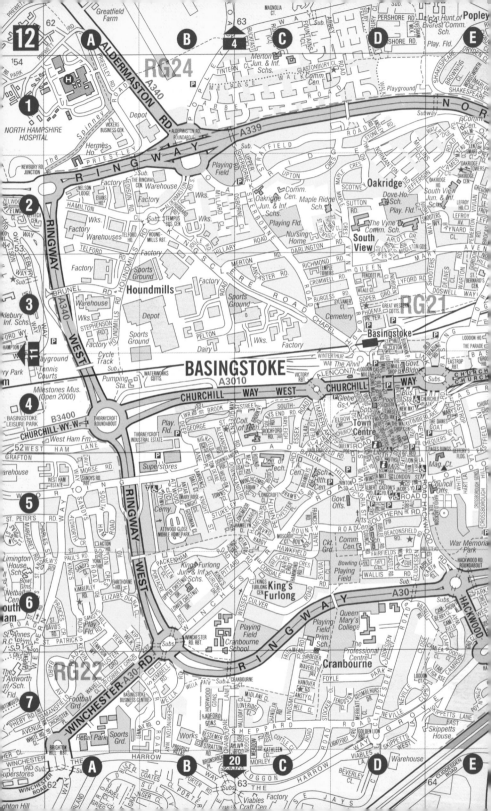

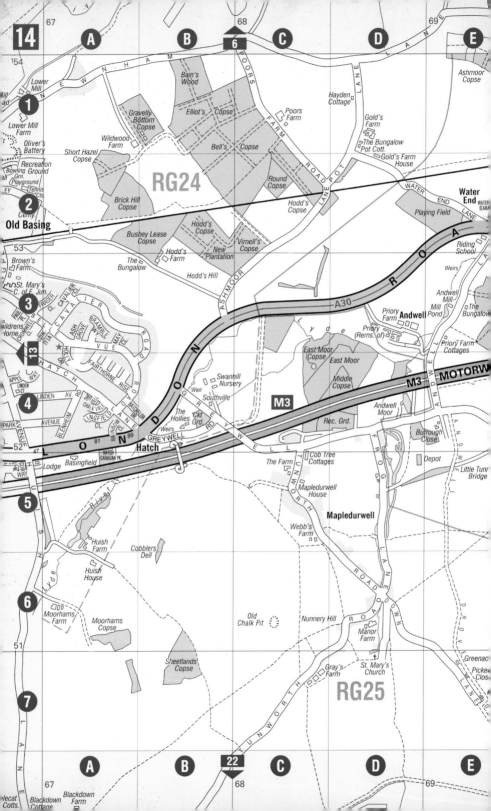

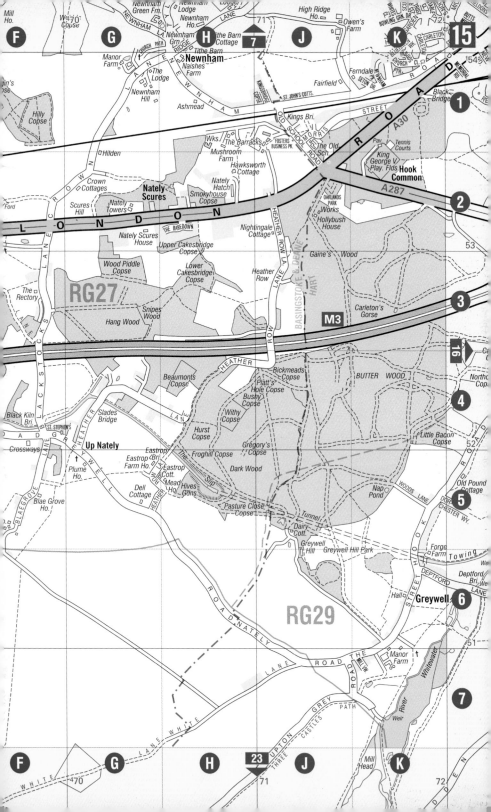

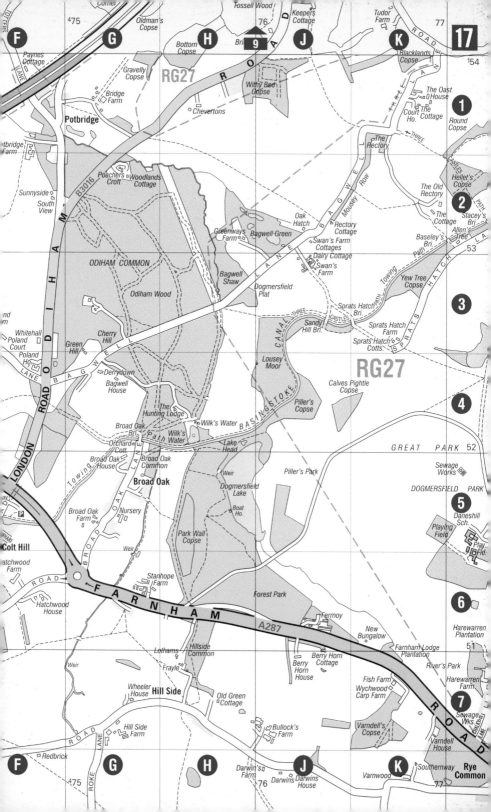

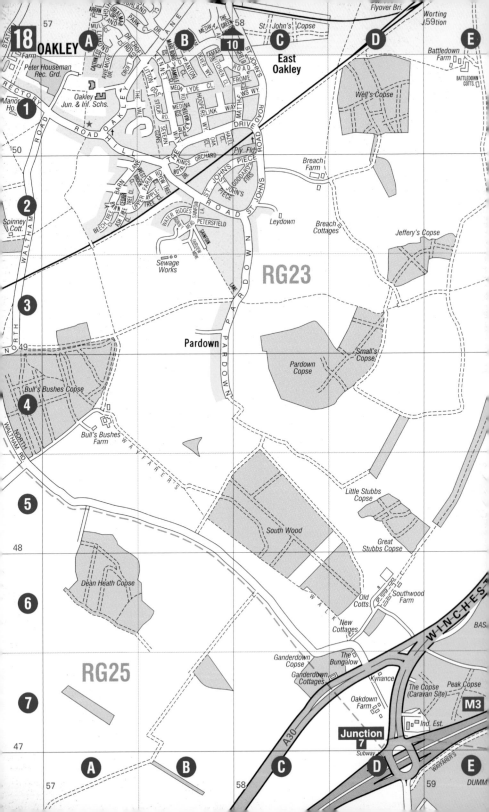

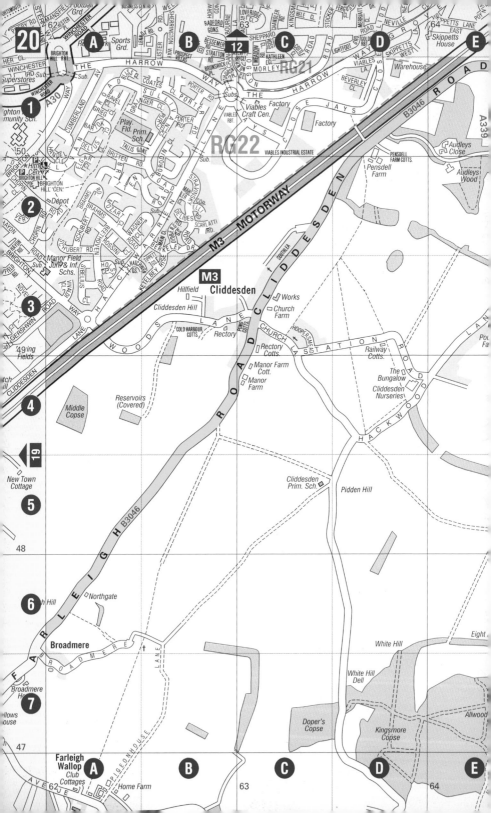

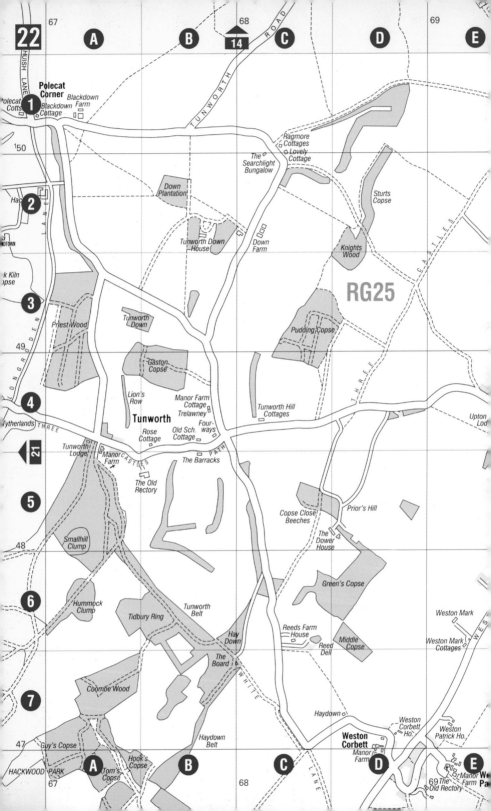

A   72   ROAD   **B**   73   16   FIRS   LANE   **C**   ROAD   **D**   HOSP   Play Fld.   74   KING   **E**

Hall   uryfields Inf. Sch.

1   Chosley Farm

Mast Fairfield   Odiham Firs

Firs House   Clump House   Masts   AVENUE

50

2   Down Farm Cottages   B3349   CHURCH   WESSEX   COUNCIL   LOVE   LANE   WYKEHAM   WINCHAM   WESSEX   CR.   WYKEHAM   COURT   COURT   LAFANS RD   Tennis Court   Sports Ground

KEPSLEY   PITHER RD   BENWELL   FULBROOK   WY.   CRES.   Ten. Ct.

WOOLDRIDGE   CRES.

ROD   BLAKE   LODGE   BARBOUR

ROYAL AIR FORCE STATION

3   49   Down Farm

4   ODIHAM AIRFIELD   **RG29**

23   LANE   SUTTON

5   Four Lanes End   HAYLEY   Middlefield Dell   Mast   WOO

48   ROAD ALTON   Six Acre Dell

HILL

6   New Cottages   RIDLEYS   PIECE   TIGWELLS   FIELD   Little-fold   B3349   Hayley Copse   THE OASTS   COVE HERE

THE OLD ORCHARD   NASH MEADOWS   Lee's arm   S.Warnborough Lodge   The Old Rectory   POACHERS FIELD   LEES   Manor Fm.   The Old Parsonage

Hall   **Long Sutton**

Lee's Cottage   Street Farm   ALTON   LANE   **South Warnborough**   The Old Farm   Hall   The Old Vicarage   STREET   ROAD   HYDE   Hyde Ho

7   FROYLE   Park Cotts.   Menn   Swanshett Coppice   Graveyard   Long Sutton C. of E. Prim. Sch.   WINGATE   Sutton Warblington

Manor House   LANE   Wells Hill

Road ages   47   Warnborough Park   Wells Hill Farm   **HESTERS COPSE**   HESTERS VIEW   CRAFTERS   Playing Field

brun   Sewage Works   **Lord Wandsworth College**

A   72   Park Copse   **B**   73   **C**   **D**   LANE   **E**   74 Play Fld.

INDEX TO STREETS

Including Industrial Estates and a selection of Subsidiary Addresses.

OW TO USE THIS INDEX

Each street name is followed by its Posttown or Postal District and then by its map reference;
e.g. Aldermaston Rd. S. *Bas* —2B **12** is in the Basingstoke Posttown and is to be found in square 2B on page **12**.
A strict alphabetical order is followed in which Av., Rd., St., etc. (though abbreviated) are read in full and as part of the
street name; e.g. Ash Gro. appears after Ashfield but before Ashlea.

Streets and a selection of Subsidiary names not shown on the Maps, appear in the index in *Italics* with the thoroughfare
to which it is connected shown in brackets; e.g. *Alexandra Ter. N War* —5C **16** (off Hook Rd.)

ENERAL ABBREVIATIONS

: Alley	Cotts : Cottages	La : Lane	Ri : Rise
p : Approach	Ct : Court	Lit : Little	Rd : Road
: Arcade	Cres : Crescent	Lwr : Lower	Shop : Shopping
: Avenue	Cft : Croft	Mc : Mac	S : South
ulevd : Boulevard	Dri : Drive	Mnr : Manor	Sq : Square
: Bridge	E : East	Mans : Mansions	Sta : Station
vay : Broadway	Embkmt : Embankment	Mkt : Market	St : Street
lgs : Buildings	Est : Estate	Mdw : Meadow	Ter : Terrace
s : Business	Fld : Field	M : Mews	Trad : Trading
ᵑ : Caravan	Gdns : Gardens	Mt : Mount	Up : Upper
ᵑ : Centre	Gth : Garth	N : North	Va : Vale
u : Church	Ga : Gate	Pal : Palace	Vw : View
vd : Churchyard	Gt : Great	Pde : Parade	Vs : Villas
c : Circle	Grn : Green	Pk : Park	Wlk : Walk
: Circus	Gro : Grove	Pas : Passage	W : West
: Close	Ho : House	Pl : Place	Yd : Yard
nn : Common	Ind : Industrial	Quad : Quadrant	
	Junct : Junction	Res : Residential	

STTOWN AND POSTAL LOCALITY ABBREVIATIONS

d : Andwell	*Grey* : Greywell	*Monk S* : Monk Sherborne	*Sher L* : Sherfield-on-Loddon
s : Basingstoke	*H Wes* : Hartley Wespall	*Nat S* : Nately Scures	*S War* : South Warnborough
ug : Baughurst	*H Win* : Hartley Wintney	*New* : Newnham	*Tun* : Tunworth
am : Bramley	*Hat W* : Hatch Warren	*N War* : North Warnborough	*Up Nat* : Up Nately
a A : Charter Alley	*Hook* : Hook	*Oak* : Oakley	*Upp W* : Upper Wootton
in : Chineham	*Hook C* : Hook Common	*Odi* : Odiham	*Upt G* : Upton Grey
d : Cliddesden	*Kemp* : Kempshott	*Old B* : Old Basing	*Winc* : Winchfield
g : Dogmersfield	*Lych* : Lychpit	*Rams* : Ramsdell	*Wins* : Winslade
m : Dummer	*Mal* : Malshanger	*Roth* : Rotherwick	*Woot L* : Wootton St Lawrence
r W : Farleigh Wallop	*Map* : Mapledurwell	*Sher J* : Sherborne St John	*Wor* : Worting

DEX TO STREETS

obey Ct. *Bas* —7C **4**	Alderwood Dri. *Hook* —6B **8**	Anglesey Clo. *Bas* —6E **4**	Ashwood. *Chin* —6G **5**
bey Rd. *Bas* —7C **4**	Aldworth Cres. *Bas* —5A **12**	Anstey Clo. *Bas* —7C **12**	Ashwood Way. *Bas* —2K **11**
ott Clo. *Bas* —7J **11**	Alencon Link. *Bas* —4C **12**	Antar Clo. *Bas* —5B **12**	Ashwood Way Roundabout.
hilles Clo. *Chin* —4H **5**	Alexandra Rd. *Bas* —5A **12**	Anton Clo. *Oak* —1B **18**	*Bas* —2K **11**
orn Clo. *Bas* —4G **13**	*Alexandra Ter. N War* —5C **16**	Antrim Clo. *Bas* —6H **11**	Aspen Gdns. *Hook* —6B **8**
on Ho. *Bas* —5A **12**	(off Hook Rd.)	Applegarth Clo. *Bas* —6E **12**	Aster Rd. *Bas* —3G **19**
ams Clo. *N War* —6B **16**	Allen Clo. *Bas* —6B **12**	Appletree Clo. *Oak* —2B **18**	Attwood Clo. *Bas* —5B **12**
dison Gdns. *Odi* —6E **16**	*Allenmoor La. Roth* —1J **7**	Appletree Mead. *Hook* —7C **8**	Attwood Clo. Mobile Home Pk.
rian Clo. *H Win* —3K **9**	Alley La. *Wins* —7E **20**	Apple Way. *Old B* —4K **13**	*Bas* —5B **12**
hemund Clo. *Chin* —5G **5**	Alliston Way. *Bas* —6H **11**	Archery Fields. *Odi* —6E **16**	Augustus Dri. *Bas* —2J **11**
x Clo. *Chin* —4H **5**	Allnutt Av. *Bas* —4E **12**	Arlott Dri. *Bas* —3D **12**	Auklet Clo. *Bas* —3F **19**
nbrooke Clo. *H Win* —2J **9**	Almond Clo. *Old B* —3J **13**	Armstrong Rd. *Bas* —2G **13**	Austen Gro. *Bas* —7A **12**
ert Yd. *Bas* —5D **12**	Alpine Ct. *Bas* —6G **11**	Arne Clo. *Bas* —3K **19**	Avenue, The. *Bas* —2G **21**
ion Pl. *H Win* —2J **9**	Alton Rd. *Bas & Wins* —7E **12**	Arran Clo. *Oak* —7A **10**	Avenue, The. *Far W* —7K **19**
ermaston Rd. *Monk S*	Alton Rd. *S Warn* —7A **24**	Arun Clo. *Bas* —4F **13**	Aviary Ct. *Bas* —1G **13**
—1K **3**	Amazon Clo. *Bas* —5B **12**	Arundel Gdns. *Bas* —2H **11**	Aviemore Dri. *Oak* —1A **18**
ermaston Rd. *Sher J & Bas*	Amport Clo. *Lych* —1J **13**	Ascension Clo. *Bas* —7E **4**	Avon Rd. *Oak* —1B **18**
—6K **3**	Anchor Yd. *Bas* —5D **12**	Ashe Clo. *Woot L* —2F **11**	Avon Wlk. *Bas* —4F **13**
ermaston Rd. Roundabout.	Andover Rd. *Oak* —6A **10**	Ashfield. *Bas* —5H **5**	Ayliffe Ho. *Bas* —5K **11**
Bas —1B **12**	Andrew Clo. *N War* —6B **16**	Ash Gro. *Old B* —3A **14**	Aylings Clo. *Bas* —5H **11**
ermaston Rd. S. *Bas*	Andwell Drove. *And & Map*	Ashlea. *Hook* —6B **8**	Aylwyn Clo. *Bas* —7C **12**
—2B **12**	—4E **14**	*Ashley Lodge. Bas* —6C **12**	
erney Av. *Bas* —3H **19**	Andwell La. *And* —4E **14**	(off Frescade Cres.)	
ers Clo. *Bas* —4F **13**	Angel Meadows. *Odi* —6E **16**	Ashmoor La. *Old B* —3B **14**	**B**ach Clo. *Bas* —3K **19**
erwood. *Chin* —5H **5**	Anglers Pl. *Bas* —4F **13**	Ash Tree Clo. *Oak* —2A **18**	Badgers Bank. *Lych* —1H **13**

Bagwell La.—Churchill Plaza

Bagwell La. *Odi* —4F **17**
Baird Av. *Bas* —7A **12**
Ballard Clo. *Bas* —6J **11**
Balmoral Ct. *Bas* —7J **11**
Balmoral Way. *Bas* —4G **19**
Band Hall Pl. *Hook* —7B **8**
Barbel Av. *Bas* —4G **13**
Barbour Clo. *Odi* —2C **24**
Bardwell Clo. *Bas* —5J **11**
Baredown, The. *Nat S* —2H **15**
Barn La. *Oak* —2A **18**
Barra Clo. *Oak* —7A **10**
Barrett Ct. *Bas* —7E **12**
Barron Pl. *Bas* —1H **11**
Barry Way. *Bas* —3K **19**
Bartley Way. *Hook* —1C **16**
Bartley Wood Bus. Pk. E. *Hook*
 —1C **16**
Bartley Wood Bus. Pk. W. *Hook*
 —1B **16**
Bartok Clo. *Bas* —1A **20**
Barton's Ct. *Odi* —7D **16**
Barton's La. *Old B* —3H **13**
 (in three parts)
Basing Rd. *Old B* —3G **13**
Basingstoke Bus. Cen. *Bas*
 —7A **12**
Basingstoke Enterprise Cen.
 Bas —5H **11**
Basingstoke Leisure Pk. *Bas*
 —4K **11**
Basingstoke Rd. *Rams* —1D **2**
Basing Vw. *Bas* —4E **12**
Batchelor Dri. *Old B* —4A **14**
Battledown Cotts. *Oak* —1E **18**
Baughurst Rd. *Rams* —1D **2**
Baynard Clo. *Bas* —2E **12**
Beach Piece Way. *Bas*
 —3H **19**
Beaconsfield Rd. *Bas* —5D **12**
Beal's Pightle. *Cha A* —1F **3**
Bear Ct. *Bas* —2H **13**
Beauclerk Grn. *Winc* —7J **9**
Beaulieu Ct. Bas —4F 13
 (off Loddon Dri.)
Beckett Clo. *Bas* —4G **11**
Beckett Ct. *Wort* —5G **11**
Beddington Ct. *Lych* —1J **13**
Bedford Wlk. *Bas* —4D **12**
Beecham Berry. *Bas* —3K **19**
Beechcrest Vw. *Hook* —6B **8**
Beech Down. *Bas* —1J **19**
Beech Dri. *Chin* —5J **5**
Beeches, The. *Hat W* —4K **19**
Beech Tree Clo. *Oak* —2A **18**
Beech Way. *Bas* —2J **11**
Beechwood. *Chin b* —5G **5**
Beechwood Clo. *Bas* —4J **19**
Beethoven Rd. *Bas* —2A **20**
Beggarwood La. *Dum* —5F **19**
 (in two parts)
Begonia Clo. *Bas* —3G **19**
Belgrave M. *H Win* —2K **9**
Belle Vue Rd. *Old B* —3K **13**
Bell Mdw. Rd. *Hook* —7B **8**
Bell Rd. *Bas* —2G **13**
Belmont Heights. *Hat W*
 —5J **19**
Belvedere Gdns. *Chin* —4J **5**
Benford Ct. Odi —7E 16
 (off Buryfields)
Bennet Clo. *Bas* —2E **12**
Benwell Clo. *Odi* —2C **24**

Beresford Cen., The. *Bas*
 —1G **13**
Berewyk Clo. *Bas* —3G **19**
Berkeley Dri. *Bas* —2B **20**
Berk Ho. *Bas* —3F **13**
Bermuda Clo. *Bas* —6D **4**
Bernstein Rd. *Bas* —3J **19**
Berry Ct. *Hook* —1A **16**
Berwyn Clo. *Bas* —6G **11**
Bessemer Rd. *Bas* —7B **12**
Beverley Clo. *Bas* —1D **20**
Bexmoor. *Old B* —3J **13**
Bexmoor Way. *Old B* —3J **13**
Bidden Rd. *Upt G & N War*
 —5F **23**
Bilton Rd. *Bas* —7G **5**
Binfields Clo. *Lych* —7H **5**
Binfields Roundabout. *Lych*
 —6H **5**
Birches Crest. *Hat W* —4K **19**
Birch Gro. *Hook* —6B **8**
Birchwood. *Chin* —5H **5**
Bittern Clo. *Bas* —3F **19**
Blackberry Wlk. *Lych* —2G **13**
Blackbird Clo. *Bas* —2F **19**
Black Dam Cen. *Bas* —6F **13**
Black Dam Roundabout. *Bas*
 —5G **13**
Black Dam Way. *Bas* —6F **13**
Blackdown Clo. *Bas* —6H **11**
Blackstocks La. *Nat S* —4F **15**
Blackthorn Way. *Bas* —3J **11**
Blackwater Clo. *Bas* —4E **12**
Blackwater Clo. *Oak* —1B **18**
Blaegrove La. *Up Nat* —5F **15**
Blair Rd. *Bas* —6C **12**
Blake Clo. *Odi* —2C **24**
Blenheim Rd. *Old B* —4A **14**
Bliss Clo. *Bas* —1A **20**
Blunden Clo. *Bas* —1C **20**
Bolton Cres. *Bas* —6A **12**
Bond Clo. *Bas* —1G **13**
Boon Way. *Oak* —7A **10**
Borodin Clo. *Bas* —2B **20**
Borough Ct. Rd. *H Win* —5E **8**
Bottle La. *Mat* —1B **7**
Bounty Ri. *Bas* —5C **12**
Bounty Rd. *Bas* —5C **12**
Bourne Ct. *Bas* —4F **13**
Bourne Fld. *Sher J* —4A **4**
Bow Fld. *Hook* —7C **8**
Bowling Grn. Dri. *Hook* —7K **7**
Bowman Rd. *Chin* —4H **5**
Bowyer Clo. *Bas* —5C **12**
Boyce Clo. *Bas* —2J **19**
Bracken Bank. *Lych* —1H **13**
Brackens, The. *Bas* —4J **19**
Brackley Av. *H Win* —2H **9**
Brackley Way. *Bas* —1J **19**
Bracknell La. *H Win* —1H **9**
Braemar Dri. *Oak* —7A **10**
Brahms Rd. *Bas* —2A **20**
Braine L'Alleud Rd. *Bas*
 —3D **12**
Bramble Way. *Old B* —3A **14**
Brambling Clo. *Bas* —3F **19**
Bramblys Clo. *Bas* —5C **12**
Bramblys Dri. *Bas* —5C **12**
Bramdown Heights. *Bas*
 —4H **19**
Brampton Gdns. *Hat W*
 —5J **19**
Bramshott Dri. *Hook* —7B **8**

Branton Clo. *Bas* —6J **11**
Brewer Clo. *Bas* —6J **11**
Brewhouse La. *H Win* —1K **9**
Brickfields Clo. *Lych* —1H **13**
Brighton Hill Cen. *Bas* —2K **19**
Brighton Hill Pde. *Bas* —2K **19**
Brighton Hill Roundabout. *Bas*
 —7A **12**
Brighton Way. *Bas* —2K **19**
Britten Rd. *Bas* —1A **20**
Broadhurst Gro. *Lych* —2H **13**
Broad Leaze. *Hook* —6A **8**
Broadmere. *Far W* —7K **19**
Broad Oak La. *Odi* —6G **17**
Broad Wlk. *Bas* —2G **21**
Brocas Dri. *Bas* —2E **12**
Brookfield Clo. *Chin* —5J **5**
Brookvale Clo. *Bas* —4C **12**
Brown Cft. *Hook* —7K **7**
Browning Clo. *Bas* —1E **12**
Brunel Rd. *Bas* —3A **12**
Brunswick Pl. *Bas* —1B **20**
Buckby La. *Bas* —4F **13**
Buckfast Clo. *Bas* —7C **4**
Buckingham Ct. *Bas* —2G **19**
Buckingham Pde. *Bas* —1G **19**
Buckland Av. *Bas* —1K **19**
Buckland Pde. *Bas* —7K **11**
Buckskin La. *Bas* —7G **11**
Budd's Clo. *Bas* —5C **12**
Buffins Corner. *Odi* —7C **16**
Buffins Rd. *Odi* —7C **16**
Bunnian Pl. *Bas* —3D **12**
Bunting M. *Bas* —3F **19**
Burgess Clo. *Odi* —7C **16**
Burgess Rd. *Bas* —3C **12**
Burnaby Clo. *Bas* —6J **11**
Burns Clo. *Bas* —1E **12**
Burrowfields. *Bas* —5H **19**
Burton's Gdns. *Old B* —2K **13**
Buryfields. *Odi* —7E **16**
Bury Rd. *Bas* —3K **11**
Butler Clo. *Bas* —5J **11**
Buttermere Dri. *Bas* —1G **19**
Butts Mdw. *Hook* —7A **8**
Butty, The. *Bas* —4D **12**
Byfleet Av. *Old B* —3K **13**
Byrd Gdns. *Bas* —3J **19**
Byron Clo. *Bas* —7E **4**

Cadnam Clo. *Oak* —7B **10**
Caernarvon Clo. *Bas* —4J **11**
Caesar Clo. *Bas* —2J **11**
Cairngorm Clo. *Bas* —5H **11**
Caithness Clo. *Oak* —1A **18**
Calleva Clo. *Bas* —3H **19**
Camberly Clo. *Bas* —6E **12**
Cambrian Way. *Bas* —6H **11**
Camfield Clo. *Bas* —6E **12**
Camlea Clo. *Bas* —6E **12**
Campion Way. *H Win* —1K **9**
Campsie Clo. *Bas* —5H **11**
Camrose Way. *Bas* —7E **12**
Cam Wlk. *Bas* —4F **13**
Camwood Clo. *Bas* —6E **12**
Canal Clo. *N War* —5C **16**
Canterbury Clo. *Bas* —2H **19**
Carbonel Clo. *Bas* —4G **11**
Carisbrooke Clo. *Bas* —3J **11**
Carleton Clo. *Hook* —7K **7**
Carlisle Clo. *Bas* —3J **11**
Carmichael Way. *Bas* —2J **19**

Carpenters Ct. *Bas* —7K **11**
Carpenter's Down. *Bas* —7D
Cartel Units. *Bas* —1G **13**
Castle Ri. *N War* —5C **16**
Castle Rd. *Bas* —6D **12**
Castle Sq. *Bas* —4D **12**
Caston's Wlk. *Bas* —5D **12**
Caston's Yd. *Bas* —5D **12**
Catkin Clo. *Chin* —5H **5**
Causeway Cotts. *H Win* —2k
Cavalier Clo. *Old B* —3A **14**
Cavalier Rd. *Old B* —3A **14**
Cavel Ct. *Bas* —1J **13**
Cayman Clo. *Bas* —7F **5**
Cedar Ter. *H Win* —3H **9**
Cedar Tree Clo. *Oak* —2A **1**
Cedar Way. *Bas* —2K **11**
Cedarwood. *Chin* —5F **5**
Cemetery Hill. *Odi* —7E **16**
Centre Dri. *Chin* —7H **5**
Centurion Way. *Bas* —3H **1**
 (in two parts)
Chaffers Clo. *L Sut* —7D **24**
Chaffinch Clo. *Bas* —2G **19**
Chaldon Grn. *Lych* —1J **13**
Chalk Va. *Old B* —4A **14**
Chalky Copse. *Hook* —6A **8**
Chalky La. *Dog* —7K **17**
Challis Clo. *Bas* —7J **11**
Challoner Clo. *Bas* —6J **11**
Chandler Rd. *Bas* —7C **12**
Chantry M. *Bas* —3H **19**
Chapel Clo. *Old B* —2K **13**
Chapel Hill. *Bas* —3C **12**
Chapel Pond Dri. *N War*
 —6C
Chapel Row. *H Win* —1K **9**
 (in two parts)
Chapter Ter. *H Win* —1K **9**
Charles Clo. *Hook* —7A **8**
Charles St. *Bas* —5K **11**
Charnwood Clo. *Bas* —6H **1**
Chatsworth Grn. *Hat W*
 —4J
Chaucer Clo. *Bas* —7E **4**
Chelmer Ct. Bas —4F 13
 (off Loddon Dri.)
Chelsea Ho. Bas —4D 12
 (off Town Cen.)
Chequers Rd. *Bas* —4E **12**
Cherry Clo. *Hook* —6B **8**
Cherrywood. *Chin b* —5G **5**
Chesterfield Rd. *Bas* —6E **1**
Chester Pl. *Bas* —5C **12**
Chestnut Bank. *Old B* —2K
Cheviot Clo. *Bas* —6H **11**
Chichester Pl. *Bas* —7A **12**
Chiltern Way. *Bas* —6G **11**
Chilton Ridge. *Hat W* —5H
Chineham Bus. Pk. *Chin*
 —4G
Chineham District Cen. *Chin*
 —7H
Chineham La. *Bas J* —1E **1**
Chineham La. *Sher J* —6B **4**
Chineham Pk. Ct. *Bas* —1F
Chivers Clo. *Bas* —6H **11**
Chopin Rd. *Bas* —2K **19**
Churchill Av. *Odi* —1C **24**
Churchill Clo. *H Win* —1H **9**
Churchill Clo. *Odi* —2D **24**
Churchill Dri. *Chin* —5H **5**
Churchill Plaza. *Bas* —4D **1**

...gfisher Clo. *Bas* —1F **19**	
...g Johns Rd. *N War*	
—5C **16**	
...gsbridge Copse. *New*	
—1J **15**	
...gsclere Rd. *Bas* —2B **12**	
...gsclere Rd. *Rams* —4A **2**	
...gs Furlong Cen. *Bas*	
—6C **12**	
...g's Furlong Dri. *Bas*	
—6B **12**	
...gsland Ind. Pk. *Bas* —7G **5**	
...gsmill Rd. *Bas* —7C **12**	
...gs Orchard. *Oak* —2B **18**	
...gs Pightle. *Chin* —5H **5**	
...g's Rd. *Bas* —6A **12**	
...g St. *Odi* —6E **16**	
...gsvale Ct. *Bas* —5B **12**	
...tyre Clo. *Oak* —7A **10**	
...ling Wlk. *Bas* —6A **12**	
...e Hill Cotts. *Bas* —6G **11**	
...ight St. *Bas* —5B **12**	

...aburnum Way. *Bas* —3K **11**
...ffans Rd. *Odi* —1D **24**
...mbs Row. *Lych* —2H **13**
...mpards Clo. *Roth* —2K **7**
...ncaster Rd. *Bas* —3C **12**
...ndseer Clo. *Bas* —6F **13**
...nsley Rd. *Bas* —1D **12**
...pin La. *Bas* —5H **19**
...rchwood. *Chin* —4F **5**
...nr. Crockford La.)
...rchwood. *Chin* —5H **5**
...nr. Hanmore Rd.)
...rk Clo. *Bas* —2F **19**
...rkfield. *Chin* —6H **5**
...urel Clo. *N War* —6B **16**
...urels, The. *Bas* —3E **12**
...vender Rd. *Bas* —3G **19**
...vington Cotts. *Bas* —1K **13**
...wrence Clo. *Bas* —7E **4**
...wrencedale Ct. *Bas* —5B **12**
...y Fld. *Hook* —7K **7**
...a Clo. *Bas* —4F **13**
...aden Vere. *L Sut* —6D **24**
...es Hill. *S War* —6J **23**
...froy Av. *Bas* —2E **12**
...froy Ho. *Bas* —2E **12**
...har Clo. *Bas* —2K **19**
...nnon Way. *Bas* —3J **19**
...nnox Rd. *Bas* —7B **12**
...n Smart Ct. *Bas* —1E **12**
...wis Clo. *Bas* —2E **12**
...ghtfoot Gro. *Bas* —7D **12**
...htsfield. *Oak* —7B **10**
...ac Way. *Bas* —3K **11**
...y Clo. *Bas* —2G **19**
...mbrey Hill. *Upt G* —5F **23**
...ne Gdns. *Bas* —4F **13**
...nes, The. *Bas* —2G **19**
...ne Tree Way. *Chin* —5G **5**
...ncoln Rd. *Bas* —3H **19**
...nden Av. *Odi* —5F **17**
...nden Av. *Old B* —4K **13**
...nden Ct. *Old B* —4K **13**
...ngfield Clo. *Old B* —4A **14**
...nk Way. *Oak* —1B **18**
...nnet Clo. *Bas* —7G **11**
...on Ct. *Bas* —3H **13**
...sa Ct. *Bas* —5C **12**
...ster Rd. *Bas* —7B **12**

Lit. Basing. *Old B* —2H **13**
Lit. Copse Chase. *Chin* —6G **5**
Lit. Dean La. *Upt G* —6H **23**
Lit. Fallow. *Lych* —1H **13**
Lit. Hoddington. *Upt G*
—5G **23**
Lit. Hoddington Clo. *Upt G*
—5G **23**
Litton Gdns. *Oak* —1B **18**
Locksmead. *Bas* —4F **13**
Loddon Bus. Cen. *Bas*
—2G **13**
Loddon Cen., The. *Bas*
—1G **13**
Loddon Ct. *Bas* —7D **12**
Loddon Dri. *Bas* —4E **12**
Loddon Ho. *Bas* —3E **12**
Loddon Mall. *Bas* —4D **12**
Loggon Rd. *Bas* —7C **12**
Lomond Clo. *Oak* —7A **10**
London Rd. *Bas* —5E **12**
London Rd. *H Win* —1K **9**
London Rd. *Odi* —6E **16**
(in two parts)
London Rd. *Old B* —5G **13**
London St. *Bas* —5D **12**
Longacre Ri. *Chin* —6G **5**
Long Copse Chase. *Chin*
—6G **5**
Longcroft Clo. *Bas* —5C **12**
Long Cross La. *Hat W*
—4G **19**
Longfellow Pde. *Bas* —1E **12**
Longfield. *Oak* —6A **10**
Long La. *Chin* —6J **5**
Long La. *Odi* —1E **24**
Longmoor Rd. *Bas* —5C **12**
Longroden La. *Tun* —4K **21**
Longstock Clo. *Bas* —4K **5**
Lorna M. *Oak* —2B **18**
Lovegroves. *Chin* —5J **5**
Love La. *Odi* —2D **24**
(in three parts)
Loveridge Clo. *Bas* —7C **12**
Lwr. Brook St. *Bas* —4B **12**
Lwr. Chestnut Dri. *Bas*
—6B **12**
Lwr. Church St. *Bas* —4D **12**
Lwr. Wote St. *Bas* —4D **12**
Lowlands Rd. *Bas* —6G **11**
Loyalty La. *Old B* —3K **13**
Ludlow Clo. *Bas* —4J **11**
Ludlow Gdns. *Bas* —4K **11**
Lundy Clo. *Bas* —7F **5**
Lune Clo. *Bas* —4F **13**
Lupin Clo. *Bas* —2G **19**
Lutyens Clo. *Lych* —7H **5**
Lyde Clo. *Oak* —1B **18**
Lyford Rd. *Bas* —3D **12**
Lymington Clo. *Bas* —3H **19**
Lyn Ct. *Bas* —4F **13**
Lyndhurst Dri. *Bas* —4J **19**
Lynwood Gdns. *Hook* —7A **8**
Lytton Rd. *Bas* —4E **12**

Mabbs La. *H Win* —4J **9**
McCartney Wlk. *Hat W*
—3J **19**
Madeira Clo. *Bas* —7F **5**
Magnolia Ct. *Bas* —7C **4**
Magnus Dri. *Bas* —3H **19**
Magpie Clo. *Bas* —2F **19**

Mahler Clo. *Bas* —2B **20**
Majestic Rd. *Bas* —4G **19**
Maldive Rd. *Bas* —7F **5**
Malham Gdns. *Bas* —5H **19**
Mallard Clo. *Bas* —3F **19**
Malls Shop. Cen., The. *Bas*
—4D **12**
Malmesbury Fields. *Bas*
—2K **19**
Malshanger La. *Oak* —5A **10**
Malta Clo. *Bas* —7D **4**
Malvern Clo. *Bas* —6G **11**
Manley James Clo. *Odi*
—6E **16**
Manor Clo. *Bas* —4G **19**
Manor La. *Old B* —3K **13**
Manor Rd. *Sher J* —5A **4**
Mansfield Rd. *Bas* —7A **12**
Maple Cres. *Bas* —2D **12**
Maplehurst Chase. *Bas*
—4H **19**
Maplewood. *Chin* —5G **5**
Margaret Rd. *Bas* —5K **11**
Marigold Clo. *Bas* —2G **19**
Market Chambers. *Bas*
(off Church St.) —5D **12**
Market Pl. *Bas* —5D **12**
Mark La. *Bas* —5D **12**
(off London Rd.)
Marlborough Gdns. *Oak*
—7B **10**
Marlborough Trad. M. *Chin*
—6F **5**
Marlowe Clo. *Bas* —1E **12**
Marl's La. *Bas* —3D **4**
Marshall Gdns. *Bas* —2D **12**
Marshcourt. *Lych* —1H **13**
Martin Clo. *Bas* —2E **12**
Martins Wood. *Chin* —5H **5**
Mary Rose Ct. *Bas* —5B **12**
Mathias Wlk. *Bas* —4K **19**
Matilda Dri. *Bas* —3H **19**
Matthews Way. *Oak* —1C **18**
Mattock Way. *Chin* —5G **5**
Maw Clo. *Bas* —2B **20**
Maybrook. *Chin* —4H **5**
May Clo. *Old B* —3A **14**
Mayfair Ho. *Bas* —4D **12**
Mayfield Ridge. *Hat W*
—5J **19**
Mayflower Clo. *Chin* —6G **5**
May Pl. *Bas* —5D **12**
May St. *Bas* —4B **12**
Mead Hatchgate. *Hook* —6A **8**
Meadowland. *Chin* —5G **5**
Meadow La. *H Win* —2J **9**
Meadowridge. *Hat W* —5J **19**
Meadow Rd. *Bas* —1C **20**
Mead, The. *Old B* —3K **13**
Medina Gdns. *Oak* —1B **18**
Medway Av. *Oak* —7B **10**
Medway Ct. *Bas* —4F **13**
Melford Gdns. *Bas* —7G **11**
Melrose Wlk. *Bas* —1B **12**
Memorial Rd. *Hook* —1A **16**
Mendip Clo. *Bas* —6G **11**
Meon Rd. *Oak* —1B **18**
Meon Wlk. *Bas* —4E **12**
Mercer Clo. *Bas* —5J **11**
Merlin Mead. *Bas* —4F **19**
Merriatt Clo. *Bas* —7D **12**
Merrileas Gdns. *Bas* —2G **19**
Merrydown La. *Chin* —5J **5**

Merryfield. *Chin* —5G **5**
Merton Rd. *Bas* —3C **12**
Middle Mead. *Hook* —7A **8**
Middleton Gdns. *Bas* —3D **12**
Midlane Clo. *Bas* —7C **12**
Mildmay Ct. *Odi* —7E **16**
Mildmay Ter. *H Win* —2K **9**
Milkingpen La. *Old B* —3K **13**
Millard Clo. *Bas* —2B **12**
Mill La. *H Wes* —1F **7**
Mill La. *N War* —5B **16**
Mill Rd. *Bas* —1J **11**
Mill Vw. *Grey* —7K **15**
Milton Clo. *Bas* —1E **12**
Minden Clo. *Chin* —6G **5**
Mitchell Av. *H Win* —3J **9**
Mitchell Gdns. *Bas* —3J **19**
Monachus La. *H Win* —1K **9**
Monarch Clo. *Bas* —4G **19**
Mongers Piece. *Chin* —4J **5**
Moniton Est. *Bas* —5H **11**
Monk Sherborne Ho. *Monk S*
—3H **3**
Monk Sherborne Rd. *Rams &*
Cha A —1D **2**
Monk Sherborne Rd. *Sher J*
—4K **3**
Monsanto Ho. *Bas* —1H **13**
Montague Pl. *Bas* —6D **12**
Montserrat Pl. *Bas* —6E **4**
Montserrat Rd. *Bas* —6E **4**
Moorfoot Gdns. *Bas* —6H **11**
Moorhams Av. *Bas* —4G **19**
Moorhen Rd. *Bas* —4E **12**
Moorings, The. *Bas* —4F **13**
Moor Vw. *Old B* —2K **13**
Morgaston Rd. *Bram* —2K **3**
Morley Rd. *Bas* —1C **20**
Morris St. *Hook* —1J **15**
Morse Rd. *Bas* —5A **12**
Mortimer Clo. *H Win* —4H **9**
Mortimer La. *Bas* —4C **12**
Moscrop Ct. *Bas* —5C **12**
Moulshay La. *Sher L* —3A **6**
Mount Pleasant. *H Win* —2K **9**
Mourne Clo. *Bas* —5H **11**
Mozart Clo. *Bas* —2A **20**
Mulberry Way. *Chin* —5H **5**
Mull Clo. *Oak* —7A **10**
Mullins Clo. *Bas* —1D **12**
Munnings Clo. *Bas* —6F **13**
Murrell Grn. Bus. Pk. *Hook*
—6E **8**
Murrell Grn. Rd. *H Win* —3E **8**
Musgrave Clo. *Bas* —2K **19**
Musket Copse. *Old B* —3J **13**
Myland Clo. *Bas* —1E **12**

Napoleon Dri. *Bas* —2J **11**
Nash Clo. *Bas* —2D **12**
Nash Meadows. *S War*
—6A **24**
Nately Rd. *Grey* —6H **15**
Neath Rd. *Bas* —4F **13**
Nelson Lodge. *Bas* —2A **12**
Neville Clo. *Bas* —7D **12**
New Bri. La. *Bas* —4G **13**
Newbury Rd. Junct. *Bas*
—2K **11**
Newman Bassett Ho. *Bas*
—3J **11**
New Mkt. Sq. *Bas* —4D **12**

Newnham La. *Old B* —1K **13**
Newnham Pk. *Hook* —1K **15**
Newnham Rd. *New & Hook*
—1H **15**
New North Dri. *Sher L* —1C **6**
New Rd. *Bas* —5D **12**
New Rd. *Bram* —1C **4**
New Rd. *H Win* —2J **9**
New Rd. *Hook* —1A **16**
New Rd. *N War* —5C **16**
New St. *Bas* —5D **12**
Nightingale Gdns. *Bas* —1J **11**
Nightingale Gdns. *Hook*
—7A **8**
Norden Clo. *Bas* —3D **12**
Norden Ho. *Bas* —3E **12**
Normanton Rd. *Bas* —2D **12**
Norn Hill. *Bas* —3E **12**
Norn Hill Clo. *Bas* —3E **12**
Northgate Way. *Bas* —4G **19**
N. Waltham Rd. *Oak* —4A **18**
Norton Ho. *Bas* —6J **11**
Norton Ride. *Lych* —2H **13**
Norwich Clo. *Bas* —3H **19**
Novello Clo. *Bas* —3K **19**
Nursery Clo. *Chin* —5J **5**
Nursery Clo. *Hook* —6A **8**
Nursery Ter. *N War* —5C **16**

Oak Clo. *Bas* —4F **13**
Oak Clo. *Oak* —1B **18**
Oakfields. *Lych* —1H **13**
Oak Hanger Clo. *Hook* —7B **8**
Oaklands. *H Win* —3J **9**
Oaklands Pk. *Hook C* —2J **15**
Oaklands Way. *Bas* —3J **11**
Oakland Ter. *H Win* —2K **9**
Oakley La. *Oak* —1A **18**
Oakley Pl. H Win —2K **9**
(off High St.)
Oakridge Cen. *Bas* —2E **12**
Oakridge Ho. *Bas* —2E **12**
Oakridge Rd. *Bas* —2B **12**
Oakridge Towers. *Bas* —2E **12**
Oak Tree Dri. *Hook* —6B **8**
Oakwood. *Chin* —5G **5**
Oasts, The. *L Sut* —6D **24**
Oban Clo. *Oak* —7A **10**
Ochil Clo. *Bas* —6H **11**
Octavian Clo. *Bas* —3H **19**
Odiham Rd. *Odi* —4F **17**
Old Basing Mall. *Bas* —4D **12**
Oldberg Gdns. *Bas* —2B **20**
Old Brick Kiln Trad. Est., The.
Rams —1E **2**
Old Canal Pl. Bas —4F **13**
(off Moorings, The)
Old Comn. Rd. *Bas* —5F **13**
Old Down Clo. *Bas* —2G **19**
Oldfield Vw. *H Win* —3J **9**
Old Kempshott La. *Bas*
—7G **11**
Old Orchard, The. *S War*
—6K **23**
Old Potbridge Rd. *Winc*
—7G **9**
Old Reading Rd. *Bas* —4E **12**
Old School Clo. *H Win* —2K **9**
Old School Rd. *Hook* —1J **15**
Old Worting Rd. *Bas* —5J **11**
Oliver's Wlk. *Lych* —2H **13**
Onslow Clo. *Bas* —7G **5**

Orchard Rd. *Bas* —5J **11**
Orchard, The. *Hook* —6A **8**
Orkney Clo. *Bas* —7F **5**
Osborne Clo. *Bas* —2C **12**
Osborn Way. *Hook* —1B **16**
Osprey Rd. *Bas* —1F **19**
Oyster Clo. *Bas* —3H **19**

Packenham Rd. *Bas* —6B **12**
Pack La. *Oak* —6A **10**
Paddington Ho. Bas —4D **12**
(off Town Cen.)
Paddock Ct. *H Win* —3J **9**
Paddockfields. *Old B* —2K **13**
Paddock Rd. *Bas* —7K **11**
Paddock, The. *H Win* —1K **9**
Paddock Wlk. *Bas* —6K **11**
Padwick Clo. *Bas* —6C **12**
Pages Bungalows. *Bas*
—5E **12**
Painters Pightle. *Hook* —7K **7**
Palace Ga. *Odi* —6D **16**
Palace Ga. Farm. *Odi* —6D **16**
Palmer Clo. *Bas* —1E **12**
Pantile Dri. *Hook* —6C **8**
Parade, The. *Bas* —3E **12**
Pardown. *Oak* —3B **18**
Park Av. *Old B* —4K **13**
Park Clo. *Oak* —7A **10**
Pk. Corner Rd. *H Win* —1K **9**
Park Gdns. *Bas* —6E **12**
Park Hill. *Old B* —3J **13**
Park La. *Old B* —4K **13**
Pk. Prewett Rd. *Bas* —1J **11**
Parkside Rd. *Bas* —6E **12**
Parkwood Clo. *Chin* —4H **5**
Paterson Clo. *Bas* —3J **19**
Paulet Pl. *Old B* —3K **13**
Paxton Clo. *Bas* —3H **19**
Peake Clo. *Lych* —2H **13**
Peel Ct. *H Win* —2J **9**
Pelham Clo. *Old B* —4K **13**
Pelton Rd. *Bas* —3B **12**
Pembroke Rd. *Bas* —4H **11**
Pemerton Rd. *Bas* —2E **12**
Pendennis Clo. *Bas* —3H **11**
Pennine Clo. *Bas* —6H **11**
Pennine Way. *Bas* —6H **11**
Penrith Rd. *Bas* —5C **12**
Pensdell Farm Cotts. *Bas*
—2D **20**
Pentland Clo. *Bas* —6H **11**
Pershore Rd. *Bas* —7D **4**
(in two parts)
Petersfield. *Oak* —2B **18**
Petersfield Clo. *Chin* —4J **5**
Petrel Cft. *Bas* —2F **19**
Petty's Brook Rd. *Chin* —4J **5**
Petunia Clo. *Bas* —2G **19**
Petworth Clo. *Bas* —4H **19**
Peveral Wlk. *Bas* —6K **11**
Peveral Way. *Bas* —6K **11**
Pheasant Clo. *Bas* —2F **19**
Pheby Rd. *Bas* —7K **11**
Phoenix Ct. *H Win* —4H **9**
Phoenix Grn. *H Win* —4H **9**
Phoenix Pk. Ter. *Bas* —3D **12**
Phoenix Ter. *H Win* —4H **9**
Pigeonhouse La. *Far W*
—7A **20**
Pimpernel Way. *Lych* —2H **13**
Pinewood. *Chin* —5F **5**

Pinkerton Rd. *Bas* —7J **11**
Pinnell Clo. *Bas* —4G **19**
Pintail Clo. *Bas* —3F **19**
Pitcairn Clo. *Bas* —6E **4**
Pither Rd. *Odi* —2C **24**
Pitman Clo. *Bas* —7H **11**
Pittard Rd. *Bas* —6B **12**
Plantation, The. *Sher L* —1B **6**
Plover Clo. *Bas* —1G **19**
Poachers Fld. *S War* —7A **24**
Poland La. *Odi* —3E **16**
Pond Cotts. *Clid* —3C **20**
Pool Rd. *H Win* —1J **9**
Poors Farm Rd. *Bas* —7C **6**
Popley Way. *Bas* —1B **12**
Poppy Fld. *Lych* —1J **13**
Porchester Sq. *Bas* —4D **12**
Portacre Ri. *Bas* —6B **12**
Porter Clo. *Odi* —2C **24**
Porter Rd. *Bas* —1B **20**
Portsmouth Cres. *Bas* —7K **11**
Portsmouth Wlk. *Bas* —7K **11**
Portsmouth Way. *Bas* —7K **11**
Portway Pl. *Bas* —4H **11**
Post Horn La. *Roth* —3J **7**
Pot La. *Old B* —2D **14**
Potter's Wlk. *Bas* —4D **12**
Poynings Cres. *Bas* —7E **12**
Prescelly Clo. *Bas* —5H **11**
Priestley Rd. *Bas* —1A **12**
Primrose Dri. *H Win* —1K **9**
Primrose Gdns. *Hat W*
—5H **19**
Princes Cres. *Bas* —6A **12**
Priors Row. *N War* —5C **16**
Priory Gdns. *Old B* —2K **13**
Priory La. *H Win* —4H **9**
Privett Clo. *Lych* —1J **13**
Prospect Vs. *Bas* —7B **12**
Puffin Clo. *Bas* —4F **19**
Purcell Clo. *Bas* —1B **20**
Puttenham Rd. *Chin* —5J **5**
Pyotts Copse. *Old B* —7J **5**
Pyotts Ct. *Old B* —7J **5**
Pyott's Hill. *Old B* —7J **5**

Quantock Clo. *Bas* —6H **11**
Queen Anne's Wlk. *Bas*
—4D **12**
Queen Mary Av. *Bas* —3D **12**
Queensdale Ct. Bas —6C **12**
(off Pittard Rd.)
Queen's Pde. *Bas* —4D **12**
Queen's Rd. *Bas* —4B **12**
Queens Rd. *N War* —6C **16**
Quilter Rd. *Bas* —2J **19**
Quince Tree Way. *Hook*
—7B **8**

Radford Gdns. *Bas* —7B **12**
Raglan Ct. *Bas* —2J **19**
Railway Cotts. *Bas* —5F **11**
Railway Cotts. *Old B* —3H **13**
Rainbow Clo. *Old B* —4A **14**
Rainham Clo. *Bas* —3F **19**
Rankine Rd. *Bas* —2F **13**
Raphael Clo. *Bas* —6F **13**
Ravel Clo. *Bas* —1A **20**
Raven Rd. *Hook* —7A **8**
Ravenscroft. *Hook* —6B **8**
Rawlings Rd. *Hook* —1B **16**

Rayleigh Rd. *Bas* —4C **12**
Reading Rd. *Chin* —1F **13**
(in two parts)
Reading Rd. *Roth* —3B **8**
Reading Rd. *Sher L* —1B **6**
Reading Rd. Roundabout. *B*
—2F
Recreation Rd. *Odi* —7D **16**
Rectory Rd. *Hook* —1A **16**
Rectory Rd. *Oak* —1A **18**
Redbridge La. *Old B* —4G **1**
Red Lion La. *Bas* —5D **12**
Redwing Rd. *Bas* —3F **19**
Redwood. *Chin* —4G **5**
Rembrandt Clo. *Bas* —6F **1**
Remembrance Gdns. *Chin*
—6
Renoir Clo. *Bas* —6F **13**
Renown Way. *Chin* —4H **5**
Rentiens Vw. *Odi* —7E **16**
Restormel Clo. *Bas* —3H **11**
Reynolds Clo. *Bas* —5F **13**
Reynolds Ho. Bas —7J **11**
(off Pinkerton Rd.)
Ribble Way. *Bas* —4F **13**
Richmond Rd. *Bas* —3C **12**
Ridge Clo. *Hat W* —5J **19**
Ridge La. *New & Roth* —7H
Ridleys Piece. *S War* —6A **2**
Riley La. *Old B* —2K **13**
Ringway Cen., The. *Bas*
—2B
Ringway E. *Bas* —2F **13**
Ringway Ho. *Bas* —2G **13**
Ringway N. *Bas* —2A **12**
Ringway S. *Bas* —7C **12**
Ringway W. *Bas* —2A **12**
Riverside Clo. *Old B* —1K **1**
Robert Mays Rd. *Odi* —7C
Robin Clo. *Bas* —2G **19**
Rochester Clo. *Bas* —2H **19**
Rochford Rd. *Bas* —4C **12**
Roding Clo. *Bas* —4F **13**
Roentgen Rd. *Bas* —2G **13**
Roke La. *Odi* —7G **17**
Roman Ho. *Wort* —4H **11**
Roman Rd. *Bas* —5G **11**
Roman Way. *Wort* —5G **11**
Romsey Clo. *Bas* —7C **4**
Rooksdown Av. *Bas* —1J **1**
Rooksdown La. *Bas* —1H **1**
(in two parts)
Rookswood Clo. *Hook* —7B
Rosebay Gdns. *Hook* —6C
Roseberry Clo. *Bas* —5H **19**
Rose Clo. *Bas* —2H **19**
Rosefield Ct. H Win —1K **9**
(off Monachus La.)
Rosehip Way. *Lych* —2H **13**
Rose Hodson Pl. *Bas* —2J
Rosewood. *Chin* —5G **5**
Ross Clo. *Bas* —7C **12**
Rossini Clo. *Bas* —2A **20**
Rothay Ct. *Bas* —4F **13**
Rotherwick La. *H Wes* —1F
Roundmead Rd. *Bas* —5C **1**
Roundtown. *Tun* —2K **21**
Row, The. H Win —2K **9**
(off High St.)
Royal Av. *Sher J* —4A **4**
Royal Clo. *Bas* —5G **19**
Rubens Clo. *Bas* —7F **13**
Rushes, The. *Bas* —4F **13**